Índice

La familia oso

© Editions Hemma (Bélgica)
"D.R." © MMI por E. L., S.A. de C.V.
                    Dinamarca 81, México 06600, D.F.
ISBN: 2-8006-7340-0 (Hemma)
ISBN: 970-22-0240-X (E.L., S.A. de C.V.)
PRIMERA EDICIÓN – Tercera reimpresión – II/01

Hemma y el logotipo Hemma son marcas
registradas de Editions Hemma, S.A.

Impreso en México – Printed in Mexico

La familia OSO
Va al circo

Texto de Mymi Doinet
Traducción de Ma. del Pilar Ortiz Lovillo
Ilustraciones de Carline

En la familia Oso
¡hay tres ositos muy graciosos!
La mamá osa se llama Ninón,
el papá oso se llama Gastón
y el osito se llama León.

Hoy es un día fantástico,
¡los ositos van al circo!

Hemma
ediciones

Esta mañana, cuando León el osito
mira por la ventana de su cuarto,
¡se lleva una gran sorpresa!
¡En la gran plaza de Osilandia,
se ha instalado un circo!

León pregunta:
-¿Qué es esa tienda gigante que han colocado
en medio de la plaza?

-Es una carpa, murmura Ninón,
la mamá de León.

-¡Esta noche, los tres iremos a ver el gran
espectáculo!, exclama Gastón, el papá de León.

Adivinanza

Soy de madera muy sólida,
parezco una manga larga,
¡pero no creas que soy la escoba de la bruja!
Sostengo las velas del barco,
y la gran tela de la carpa.
¿Quién soy?

Respuesta: el mástil.

De lunes a domingo, el circo no para de moverse,
¡todos los días va de pueblo en pueblo!

-¡Por eso la gente del circo vive sobre ruedas!,
dice Ninón, mamá osa.

-¡Su casa los sigue, a todas partes,
como a las tortugas!, exclama León el osito.

En su camerino,
el señor Rigoletto, el payaso,
tiene todo lo necesario.

¡Una ducha y un lavabo!
¡Una cama y un cálido edredón!
¡Y un perchero para colgar su
sombrero y su banjo!

¿Lo sabías?

¡Los payasos son excelentes músicos!
Saben tocar toda clase de instrumentos:
¡acordeón, banjo, trompeta, piano y clarinete!
Fabrican instrumentos muy divertidos:
¡Las cacerolas son las castañuelas,
la olla un tambor y una liga la mandolina!

Para verse más gracioso,
el señor Rigoletto se pone su peluca
amarilla como una piña,
un sombrero con flores y su viejo pantalón.

Después, su corbata de lazo
¡y sus zapatos cafés!

-¡Qué fanfarrón!, piensa Ninón, la mamá osa.

Después, el payaso se pone
¡una nariz roja y redonda
parecida a un tomate!
¡y parpadea como un autómata!

León, el osito, ríe a carcajadas
¡y aplaude con sus dos patas!

¿Lo sabías?

En el circo, con frecuencia hay dos payasos:
un payaso bromista, con una nariz chistosa
y ropa muy graciosa.
¡Es el cómico, el payaso que siempre hace reír!
Pero también hay un payaso muy sensato.
Lleva un traje de lentejuelas.
¡Es un verdadero poeta!
Se maquilla el rostro de blanco,
¡y siempre está muy serio!

¡Vamos a ver a las fieras!
El señor Pedro, el domador,
prepara, sin miedo, el almuerzo
de los animales hambrientos.

A grandes mordidas,
y relamiéndose los bigotes,
los tigres, las panteras y los leones
¡devoran kilos de costillas y bistecs!

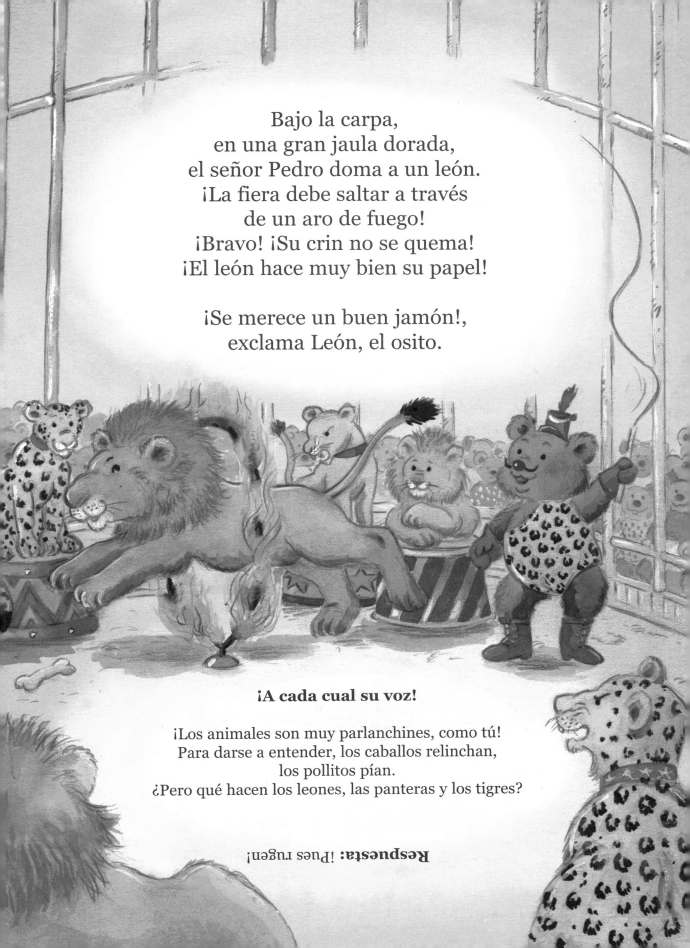

Bajo la carpa,
en una gran jaula dorada,
el señor Pedro doma a un león.
¡La fiera debe saltar a través
de un aro de fuego!
¡Bravo! ¡Su crin no se quema!
¡El león hace muy bien su papel!

¡Se merece un buen jamón!,
exclama León, el osito.

¡A cada cual su voz!

¡Los animales son muy parlanchines, como tú!
Para darse a entender, los caballos relinchan,
los pollitos pían.
¿Pero qué hacen los leones, las panteras y los tigres?

Respuesta: ¡Pues rugen!

En Osilandia ya es de noche.
Poco a poco, los espectadores llenan el circo.

La familia de los osos llega al circo.
Ninón, Gastón y León se sientan en la
primera fila de las gradas de madera.
La música de la orquesta empieza a sonar.
¡El espectáculo comienza!

La señorita Pluma, la bailarina,
¡baila ligera sobre el lomo
de un elefantito!

Después llega el turno de las focas.
¡Sostienen con su nariz
unos balones multicolores!
¡Bravo! ¡Bravo!

¿Lo sabías?

Los elefantitos chupan
su trompa como
los bebés su pulgar.

De pronto... ¡Shss...! ¡Silencio!
¡La gran orquesta deja de sonar!
¡Todos retienen el aliento!
¡Tres trapecistas sueltan el trapecio
para hacer un triple salto, allá arriba,
en lo más alto de la carpa!
¡León está asustado!

Ahora es el turno de Víctor y Néstor.
Los hermanos gemelos son malabaristas.
¡Hacen malabares con diez vasos de vidrio
y diez platos de porcelana!
¡Huy! ¡Qué bueno que la hermosa vajilla
no se quebró en mil pedazos!

¡Ojo de lince!

Hay diez diferencias entre Víctor y Néstor
¡Pronto, encuéntralas!

¡Dos zapatos de color café
corren por detrás de la cortina!
¡Por fin aparece el señor Rigoletto!
El payaso toca un banjo
¡por cierto muy desafinado!

Después, el señor Rigoletto invita
a subir a León, el osito,
¡al centro de la carpa!
¡Y los dos bailan un tango!
Ninón, la mamá osa
y el papá oso, Gastón,
¡están muy orgullosos de su hijo!

¿Lo sabías?

¡Existen escuelas de circo!
¡Puedes aprender con verdaderos
payasos y llegar a ser tan gracioso
como el señor Rigoletto!
También hay malabaristas
y acróbatas
¡que enseñan el arte de
sus trucos fantásticos
y mágicos!

Aquel día, al llegar la medianoche,
León el osito, acostado en su cama
y bien abrigado con su edredón, piensa:
"¡Ojalá que regrese el circo el año próximo!"
Después León, se duerme.
Sueña que con su carromato le da la vuelta al
mundo, de México a Tokio, y
de París a Río de Janeiro.
¡Y cómo aplaude el público su gran actuación!

La familia OSO
Va de compras

Texto de Mymi Doinet
Traducción de Ma. del Pilar Ortiz Lovillo
Ilustraciones de Carline

En la familia Oso
¡hay tres ositos muy graciosos!
La mamá osa se llama Ninón,
el papá oso se llama Gastón
y el osito se llama León.

Hoy es un día magnífico,
¡los ositos van de compras!

Hemma
ediciones

León el osito se cubre bien con su edredón.
¡Qué felicidad!
¡León sueña que lleva un carrito
lleno de exquisitos frascos de miel!
Luego termina de soñar.
¡Ya es hora de levantarse!

Ninón, la mamá de León,
murmura al oído de su osito:
-¡Levántate, León! Hoy es sábado.
¡Vamos a hacer las compras de toda la semana!
León salta rápidamente de la cama.
¿Y si su sueño se hiciera realidad?

¿Lo sabías?

¿Cómo hace la abeja su deliciosa miel?
Primero liba la miel, volando
sobre el corazón de las flores perfumadas.
Allí, la muy pícara recolecta su polen, que es
un fino polvo de la flor,
y el néctar, un líquido azucarado.
Después, la abeja lleva su cosecha
al interior del panal, su casa.
Más tarde, el apicultor vendrá
a buscar la miel para ponerla en frascos.

La gran canasta de la mamá de León está vacía.
¡Pero pronto estará bien llena!
León no olvidó su cartera.
¡Adentro hay un tesoro!
Hay siete monedas doradas y cinco
monedas plateadas.
Ninón se detiene ante la tienda
del señor Camembert.

La mamá de León compra
seis frascos de yogurt con miel,
-¡Uf, huele a queso roquefort por aquí!,
murmura León haciendo gestos.
Mimí, la ratita, no está de acuerdo.
¡Escondida en un hueco del queso gruyere,
lo saborea feliz!

Adivinanza

Soy blanca como la nieve,
¡pero no caigo del cielo!
Soy líquida como el agua,
pero no corro en la fuente.
¡Les encanto a los bebés!
¿Quién soy?

Respuesta: ¡Soy la leche!

Gastón, el papá de León, es pastelero.
En su pastelería hay cosas muy buenas:
dulces dorados como lunitas, pasteles de
cumpleaños y bombones de todos colores.

Gastón le regala una tarta de cerezas
al osito goloso.
¡Mmm! León se come la tarta
¡sin dejar ni una migaja!

¿Lo sabías?

A los osos cafés les encantan las bayas,
las pequeñas frutas del bosque.
Con sus patas delanteras, provistas de garras,
los golosos cortan las grosellas, las moras
y las fresas que crecen por millares en los bosques.

¡Ya es mediodía!
Ninón lleva a su osito
a almorzar a una cafetería.
Hay mucha gente.
Deben ser pacientes y esperar su turno.
Gastón, el papá de León,
se reúne con su pequeña familia.
¡Él también tiene más hambre que un lobo!

¡Que osos tan golosos!
Saborean sus sandwiches
de pollo y de jamón
¡y helados de miel!

¡Cuidado con Micifuz!

Tres pequeños ratones se escondieron en el restaurante.
¡Cuidado!
Un enorme gato los vigila y está listo para devorarlos
¿Dónde se esconde?

Respuesta: ¡Se esconde en un barril!

En la librería de la señorita Clementina,
León se encuentra con Nina, su
compañera de escuela.
Nina escoge el libro más grueso de la librería.
Es un enorme diccionario
con miles de palabras para leer.
¡De la A como abeja
a la Z como zapato!

León cuenta sus monedas.
Con sus ahorros
se puede comprar el libro de *Ricitos de oro*.
Ese libro cuenta la historia de una pequeña niña
rubia que descubre en la profundidad del bosque a
una familia de osos...
Unos osos que se parecen mucho
¡a la familia Oso!

Adivinanza

¿Quién le lleva un frasco de mantequilla fresca
y pan a su abuelita?

Respuesta: ¡Caperucita Roja!

¡Hum! ¡Huele a pescado fresco por aquí!
En la pescadería del señor Camarón,
Ninón, la mamá de León,
compra un buen filete
de salmón para su osito.

¡Ayy! León siente algo
que le muerde la patita.
¡Es un astuto cangrejo que se escapa
corriendo hacia atrás!
¡Cómo le gustaría a ese cangrejito
volver a nadar entre las olas!

Ojo de lince

En la pescadería del señor Camarón,
¿cuántos peces ves?
¿Cuáles son los cangrejos gemelos?
Una perla preciosa se escapó de una ostra.
¿Hacia dónde rodó?

En la tienda de la señora Anorak,
Ninón compra ropa
para el osito
¡León crece tan rápido!
Se va a convertir en un gigante,
¡como Gastón, su papá!

León se prueba un pantalón de color rojo cereza,
un suéter amarillo limón,
una gorra verde manzana
¡y unos zapatos de color naranja como una
calabaza!
¡Y ahí lo tienen estrenando de pies a cabeza!

Adivinanza

Llevo barba blanca,
un largo abrigo rojo,
un par de botas
y una enorme bolsa.
¿Quién soy?

Respuesta: ¡Soy Santa Claus!

El día llegó a su fin.
Ninón, la mamá de León, llenó su canasta
de hermosas cosas buenas.
Gastón, el papá de León, regresó de la pastelería.
Por la noche, le cuenta al osito
el cuento de *Ricitos de oro*.
¡Y ahora, silencio!
¡Ya va a pasar el vendedor de arena!
Va a sacar de su saco una lluvia de arena dorada,
¡y León se va a dormir en su blanda cama,
roncando suavemente!

La familia OSO
Hace deporte

Texto de Mymi Doinet
Traducción de Ma. del Pilar Ortiz Lovillo
Ilustraciones de Carline

En la familia Oso
¡hay tres ositos muy graciosos!
La mamá osa se llama Ninón,
el papá oso se llama Gastón
y el osito se llama León.

¡Esta semana hay muchas competencias!
¿Serán campeones los ositos traviesos?

Hemma
ediciones

León el osito, no para de dar vueltas en su cama.
Una patada a la izquierda,
una patada a la derecha.
¡Bravo! ¡Anotó un gol!
León sueña que es futbolista.
¡Qué felicidad!

Ninón, la mamá de León,
murmura al oído del osito:
-¡De pie, campeón!
León salta de la cama. Después ¡hup!
Se sumerge en la bañera. Luego ¡hup!
¡El muy glotón devora una pieza de pan entera!
Esta mañana no hay que salir
con el estómago vacío.
¡Los ositos traviesos van a gastar muchas energías!

¡Viva el desayuno!

En casa de la familia Oso,
se preparan muy ricos desayunos
¡para estar en forma y salir con el pie derecho!
¡Tú también, disfruta de un buen desayuno como León!
Come pan o cereales, queso o una rebanada de jamón.
Toma una buena taza de leche que tiene mucho calcio
y hace tus huesos fuertes.
Y jugo de naranja con muchas vitaminas
¡así te sentirás muy bien!

Hoy lunes
es el día de la gran final de fútbol.
El equipo del club de los Osos Rojo Cereza,
se enfrenta al equipo de los Osos Amarillo Canario.
León el osito y Gastón, su papá,
se ponen medias y pantaloncillos rojos.
El árbitro silba. El partido empieza...

Ninón, la mamá de León, está sentada
en las gradas. Anota los goles que
marca cada equipo.
Nino Canarí, el oso portero del equipo amarillo, no
tiene mucha suerte ¡El balón entra a la
portería! Ninón exclama:
-¡Bravo León, jugaste como un campeón!
¡Gracias a ti, el equipo de los Osos Rojo Cereza gana
la copa del mundo!

Adivinanza

Soy amarillo,
pero no soy un limón.
Soy redondo,
pero soy mucho más pequeño que un balón.
La raqueta me golpea por encima,
pero no es para lastimarme.
¿Quién soy?

Respuesta: ¡Soy una pelota de tenis!

Hoy es martes.
¡Vamos a la pista de patinaje!
Los ositos se ponen sus patines.
Los patinadores giran alrededor de la pista.
De pronto... ¡Pum! León da un paso en falso.
¡Brrr! Su bigote prueba la pista.
¡Está fría como un helado de vainilla!

Gastón y Ninón patinan al ritmo
de una melodía muy dulce.
Bailan y hacen elegantes piruetas
sobre el hielo, ¡sin caerse!
León está muy orgulloso de sus padres.
¡Ya son los campeones!
El jurado les dio la calificación más alta.

¡Abre bien los ojos!

Observa bien a los espectadores que están alrededor de la pista.
Dos de ellos llevan el mismo gorro.
¿Los ves?

Hoy es miércoles.
En el salón de judo, León se encuentra
a sus amigos Tom y Max.
Se ponen su uniforme blanco.
¡El traje de judoka es un kimono!
Sin lastimarse, los judokas inician un
combate sobre el tatami, que es una gran alfombra.
¡Tras! León lanza a Max al piso, sobre el tatami,
¡con una gran voltereta!

Gastón y Ninón aplauden a su osito.
Ganó la cinta naranja.
Muy pronto León obtendrá la cinta negra.
¡Como su profesor de judo!

El juego de las 7 diferencias

Observa a Tom y a Max, los dos compañeros de León,
y encuentra las siete diferencias que hay entre los dos judokas.

Hoy es jueves.
Los ositos corren a la piscina.
En el vestidor se ponen su traje de baño.
León se sumerge en la pequeña piscina.
El maestro de natación le enseña a León
como flotar en el agua.
¡Ya no necesita el salvavidas!
¡Ya sabe nadar!

En la piscina grande,
¡Gastón, el papá de León, trata de nadar
sobre su espalda para practicar
el nado "para atrás"!
Ninón, la mamá de León, estira
los brazos hacia adelante.
León exclama:
-¡Bravo mamá, eres una campeona de natación!

¿Lo sabías?

El pez más rápido del mundo es el pez vela.
Ese pez lleva sobre su espalda una aleta
¡que se despliega como la vela de un navío!
¡En los mares cálidos, el pez vela nada a
una velocidad de 109 kilómetros por hora!
¡Qué fácil podría ganarle a los ositos!
Ellos nadan lentamente
¡porque tienen sus patas muy gordas!

Hoy es viernes. Es día de esquiar.
La familia Oso sube al teleférico
para llegar a lo alto de las pistas.
Los ositos se ponen los esquíes.
León clava su bastón en la nieve.
¡Cruje como azúcar helada!

¡Pum! Dan la señal de partida.
La familia Oso se desliza por las
pendientes nevadas.
¡Bing! ¡León tropieza con un pequeño abeto y
rueda por la nieve!
¡Sus bigotes, blancos de nieve,
se ven muy graciosos!

Laberinto

¿Por dónde debe pasar Max, el osito,
para encontrar al muñeco de nieve?

Hoy es sábado.
¡Empieza la carrera de bicicletas!
Los ositos siguen al pelotón.
Pedalean lo más rápido que pueden.
Ninón suda la gota gorda.
Gastón mantiene la cabeza cerca del manubrio,
como los campeones ciclistas.
De pronto, León frena.
¡La rueda de su bicicleta acaba de estallar
a causa de una piedra picuda!

Con su rueda nueva,
León alcanza a los demás ciclistas.
¡Bravo! ¡Llega a la meta y gana
la camiseta amarilla!
Como un gran campeón,
León responde a las preguntas
del periodista deportivo.
¡Esta noche va a salir en la televisión,
en el noticiero deportivo!

Adivinanza

¡Tengo agujas pero no tejo!
Hago "tic-tac",
¡pero no soy un péndulo!
Todos los deportistas cuentan conmigo
para que calcule bien los minutos y los segundos.
¿Quién soy?

Respuesta: ¡Soy el cronómetro!

Hoy es domingo. Es día de descanso,
¡las competencias ya terminaron!
La familia Oso duerme hasta muy tarde.

Y por la tarde, ¿qué hacen, Gastón,
Ninón y el osito León?
¡En sus marcas, listos, fuera!
Se ponen ropa deportiva
y se van a correr por el campo.
¡Son unos verdaderos deportistas!

La familia OSO
Los ositos van a la escuela

Texto de Mymi Doinet
Traducción de Ma. del Pilar Ortiz Lovillo
Ilustraciones de Carline

En la familia Oso
¡hay tres ositos muy graciosos!
La mamá osa se llama Ninón,
el papá oso se llama Gastón
y el osito se llama León.

Hoy es un gran día para León el osito.
¡Va a conocer su nueva escuela!

Hemma
ediciones

¡Tic, tac, tic, tac!
Las agujas del reloj están girando
¡Ring...! ¡Suena el despertador!
León, el osito, se despierta sobresaltado.
¡Después se vuelve a dormir bajo su edredón!
Ninón, la mamá de León,
murmura al oído del osito:
—Levántate, perezoso,
¡vas a llegar tarde a la escuela!

¡León se lava de la cabeza a los pies!
¡Después, rápido!, se pone su suéter y su pantalón.

En la cocina,
Gastón, su papá,
le prepara cereales con miel.
¡Mmm, qué rico!
Antes de ir a la escuela
¡hay que tomar un buen desayuno!

Adivinanza

Me derrito,
¡pero no soy un muñeco de nieve!
Hago burbujas
¡pero no soy un pez!
Huelo bien
¡pero no soy una flor!
¿Quién soy?

Respuesta: ¡Soy el jabón!

León no va solo a la escuela.
Ninón, su mamá, lo acompaña.
Por el camino, León se encuentra a Tom y a Max,
sus pequeños compañeros ositos.
Todos llevan una mochila a la espalda.
La de Tom es azul, como el mar.
La de Max es amarilla, como una piña.
La de León es roja... ¡como una cereza!

En la mochila de León hay un cuaderno,
un estuche con lápices de colores, un sacapuntas
y una goma, ¡todo es nuevo!

¿Sabías qué...?

Los leñadores cortan los árboles, para hacer papel,
luego transportan los troncos hasta una fábrica.
Con los pedazos de madera hacen el aserrín.
¡Es un polvo de madera más fino que las migajas!
Se agrega agua y hacen un curioso caldo.
¡Es la pasta para el papel!
La pasta corre sobre un enorme tapete rodante
que aspira toda el agua.
Se sacan grandes hojas de papel que serán recortadas.
¡Sirven para hacer libros o cuadernos muy bonitos!

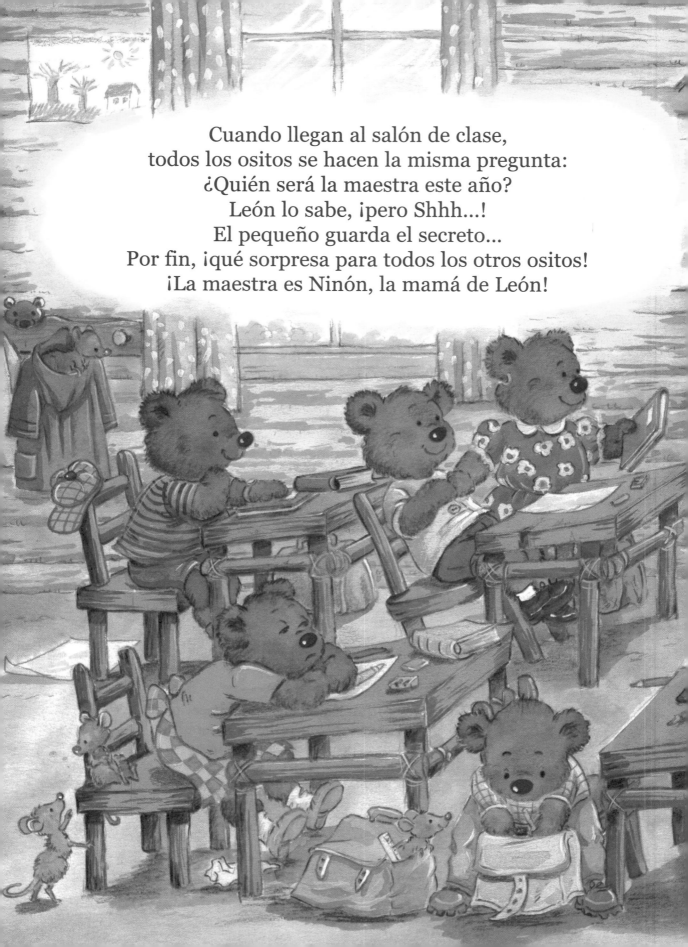

Cuando llegan al salón de clase,
todos los ositos se hacen la misma pregunta:
¿Quién será la maestra este año?
León lo sabe, ¡pero Shhh...!
El pequeño guarda el secreto...
Por fin, ¡qué sorpresa para todos los otros ositos!
¡La maestra es Ninón, la mamá de León!

Esta mañana,
Ninón les enseña a contar a los ositos:
-Uno, dos, tres, iré al bosque.
Cuatro, cinco, seis, a cortar cerezas.
Siete, ocho, nueve, con mi cesta nueva.
¡Diez, once, doce, estarán bien ricas!

Cuenta bien

En el salón de León,
¿cuántos ositos hay?
También hay varios ratones.
Los pequeños son muy astutos,
¡escuchan en silencio la lección de Ninón!
¿Cuántos ves tú?

Ya es hora del recreo.
Todos los ositos salen al patio.
León y sus compañeros, Tom y Max,
juegan con el balón.
Lola y Nina, las ositas gemelas,
juegan a la rayuela.

León golpea muy fuerte el balón
que pasa por arriba del muro de la escuela.
¡Bing! El señor Timbre, el oso cartero,
¡recibe el balón en la cabeza!
Con su gorra, el señor Timbre
les devuelve el balón a los ositos futbolistas.
La próxima vez, León promete
¡que tendrá más cuidado para meter un gol!

¡Ojo de lince!

En el patio del recreo,
Lola perdió su collar,
Tom perdió su reloj
y León sus dulces de miel
¡Ayúdalos a encontrarlos!

Ya terminó el recreo.
Los ositos regresan a su salón de clases.
Ninón les enseña el alfabeto.
Sobre el pizarrón, ella traza la letra M.
Lola exclama:
-¡Qué bonita M, parece una montaña!

Después, la maestra traza una O bien redonda.
De inmediato, León dice:
–¡Qué O tan gordita, parece un balón!
Ninón sonríe.
¡Su osito es el más pícaro de todo el grupo!

Adivinanza

¡A, como abeja!
¡B, como ballena!
¡C, como cocodrilo!
¿D, como...?

¡Encuentra un animal
que su nombre empiece con la letra D!

Respuesta: ¡el delfín, el dromedario o el
dinosaurio, por ejemplo!

Ya es medio día.
¡Los ositos van a almorzar al comedor!
Se ponen una servilleta de cuadros
alrededor del cuello.
¡Mmm...! el señor Turrón, el oso cocinero,
ha preparado un delicioso puré de castañas.

Para el postre, hay una sorpresa.
¡Hoy es el cumpleaños de León!
Y, como Gastón su papá, es pastelero,
¡hizo un delicioso pastel de miel!
¡Uno, dos, tres! ¡Los ositos golosos
soplan las velas!

Cada cual con su cachorro

El hijo del oso es el osito
¿Cómo se llaman
el hijo del elefante,
el hijo del león y el hijo del lobo?

Respuesta: elefantito, leoncito y lobezno.

Esta tarde, los alumnos de
Ninón van a pintar.
La maestra pone pintura
en vasitos de yogurt vacíos.
Enseguida, le entrega, a cada osito,
una hoja de papel y un pincel.

Lola pinta una ballena azul,
Tom pinta un sol amarillo.
¡León pinta un lindo coche
de bomberos rojo!
La maestra espera que seque la pintura.
Después coloca los dibujos en la pared.
¡Ninón tiene los mejores alumnos
de toda la escuela!

La magia de los colores

Para hacer el color verde,
¿qué colores debe mezclar Lola?
Para hacer el color naranja,
¿qué colores debe mezclar León?

Respuesta:

Lola mezcla el azul con el amarillo.
León mezcla el amarillo con el rojo.

Más tarde, León regresa a casa
con Ninón, su mamá.
Ya casi es de noche.
Gastón vuelve de la pastelería.
Le pregunta a León:
—¿Qué aprendiste hoy?
León le dice orgulloso a su papá:
—¡Aprendí a contar hasta el doce
y a escribir mi nombre!
Ninón está muy orgullosa de su hijo.
León ya se va a dormir.
Su papá y su mamá le dan muchos besos.

¡Oh! ¡Gastón pinta bigotes de harina
en las mejillas de su gracioso osito!